Descubriendo Dinosaurios

Apatosaurio

Aaron Carr

El enriquecido libro electrónico AV² te ofrece una experiencia bilingüe completa entre el inglés y el español para aprender el vocabulario de los dos idiomas.

This AV² media enhanced book gives you a fully bilingual experience between English and Spanish to learn the vocabulary of both languages.

Spanish   **English**

Navegación bilingüe AV²
AV² Bilingual Navigation

CERRAR
CLOSE

INICIO
HOME

OPCIÓN DE IDIOMA
LANGUAGE TOGGLE

CHANGE LANGUAGE
ENGLISH SPANISH

CAMBIAR LA PÁGINA
PAGE TURNING

BACK NEXT

El pterodáctilo no era un dinosaurio. Era un reptil volador llamado pterosaurio.

VISTA PRELIMINAR
PAGE PREVIEW

Apatosaurio

En este libro aprenderás

el significado de su nombre

su apariencia

dónde vivía

qué comía

¡Y mucho más!

4

Conoce al apatosaurio. Su nombre significa "lagarto engañoso".

El apatosaurio fue uno
de los animales más
grandes de la tierra.

Pesaba más de 70.000 libras.

El apatosaurio tenía un cuello muy largo. Usaba su cuello largo para alcanzar alimentos.

Los apatosaurios eran herbívoros.
Pasaban la mayor parte
de su tiempo buscando
alimentos y comiendo.

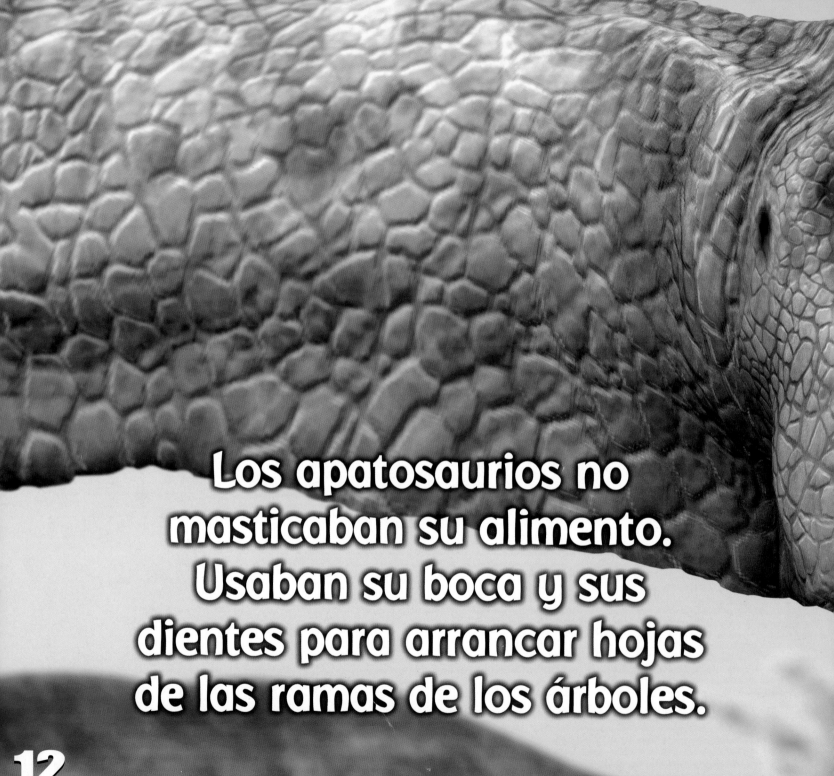

Los apatosaurios no
masticaban su alimento.
Usaban su boca y sus
dientes para arrancar hojas
de las ramas de los árboles.

13

Los apatosaurios caminaban muy lentamente sobre sus cuatro fuertes patas.

Es posible que utilizara su cola como una pata adicional.

15

Los apatosaurios vivían en la parte central de Norteamérica.

Permanecía alejado de los pantanos y otros lugares con agua.

Los apatosaurios se extinguieron hace más de 137 millones de años.

18

Las personas conocen a los apatosaurios debido a los fósiles.

Las personas pueden visitar museos para aprender más acerca de los apatosaurios.

Datos del apatosaurio

Estas páginas proveen información detallada que amplía los datos interesantes encontrados en este libro. Están destinadas a ser utilizadas por adultos como apoyo de aprendizaje para ayudar a los pequeños lectores con sus conocimientos de cada dinosaurio o pterosaurio maravilloso presentado en la serie *Descubriendo dinosaurios*.

Páginas 4–5

La palabra apatosaurio quiere decir "lagarto engañoso".
El apatosaurio es un dinosaurio enorme conocido por su largo cuello, su gran cuerpo y su cola. Los científicos creían que el apatosaurio y el brontosaurio eran dos especies diferentes de dinosaurios. Luego descubrieron que el brontosaurio era un apatosaurio completamente desarrollado. Como apatosaurio fue el primer nombre que se le dio a esta especie, se lo considera como su nombre apropiado. Sin embargo, todavía a veces se usa el nombre brontosaurio.

Páginas 6–7

El apatosaurio fue uno de los animales más grandes de la tierra. El apatosaurio pesaba hasta 80.000 libras (36.000 kilogramos). Medido desde la cabeza a la cola, el apatosaurio alcanzaba 70 pies (21 metros) de largo. El apatosaurio medía 15 pies (4,6 m) de alto hasta la cadera. Era un animal tan grande que los científicos antes creían que vivían en el agua para soportar su peso.

Páginas 8–9

El apatosaurio tenía un cuello muy largo. Su cuello medía más de 17 pies (5 m) de largo. El apatosaurio usaba su cuello largo para pastar. Algunos científicos creen que el apatosaurio podía elevar su cabeza para comer hojas de las ramas altas de los árboles. Otros piensan que la gran longitud de su cuello debe haber impedido que el apatosaurio lo eleve a más de 17 pies (5m). En su lugar, el cuello largo le debía permitir al apatosaurio alcanzar alimentos en las áreas a las que no podía ingresar con su enorme cuerpo, como en bosques densos.

Páginas 10–11

El apatosaurio era herbívoro, o vegetariano. El apatosaurio fue uno de los herbívoros más grandes. Para poder sostener su enorme tamaño, el apatosaurio debe haber pasado casi todo su tiempo buscando alimentos o comiendo. Algunas de las plantas que comía el apatosaurio eran hojas de árboles, semillas de coníferas y helechos. Las coníferas eran las plantas dominantes durante el período de tiempo en el que vivió el apatosaurio, por lo tanto es posible que conformaran la mayor parte de su dieta.

El apatosaurio no masticaba su alimento. El apatosaurio usaba sus dientes similares a clavijas para arrancar hojas y agujas de coníferas de las ramas de los árboles. No empleaba sus dientes para masticar. En su lugar, el apatosaurio tragaba su comida entera. También tragaba rocas que permanecían en su estómago para ayudar a romper los alimentos. Algunos científicos piensan que el apatosaurio debe haber tenido labios fuertes, como los de los alces, que les deben haber ayudado a agarrar sus alimentos.

El apatosaurio caminaba muy lentamente. El apatosaurio tenía cuatro enormes patas con la forma de columnas gruesas. Las patas delanteras eran ligeramente más cortas que las traseras. Del estudio de huellas preservadas del apatosaurio, los científicos saben que este dinosaurio solamente podría caminar muy lentamente. Sin embargo, sus crías podían correr rápidamente sobre sus dos patas traseras. Algunos científicos también creen que el apatosaurio usaba su cola como pata. Esto le debe haber permitido al apatosaurio pararse sobre sus patas traseras, usando la cola como apoyo adicional y para mantener el equilibrio.

El apatosaurio vivía en la parte central de Norteamérica. El apatosaurio vivió en Norteamérica y en Europa. En Norteamérica, el apatosaurio se encontraba en la parte central el continente, en los actuales estados de Colorado, Utah, Wyoming y Oklahoma. El enorme tamaño del apatosaurio significa que debía vivir lejos de pantanos y grandes cuerpos de agua. Esto se debe a que se hubiera hundido en las tierras blandas de estas áreas.

Los apatosaurios se extinguieron hace más de 137 millones de años durante el período Jurásico Tardío. Las personas aprendieron acerca del apatosaurio estudiando sus fósiles. Los fósiles se forman cuando un animal muere y se cubre rápidamente con arena, barro o agua. Esto evita que las partes duras del cuerpo, como los huesos, dientes y garras, se descompongan. El cuerpo queda prensado entre capas de barro y arena. Luego de millones de años, las capas se convierten en rocas, y los huesos y dientes de los dinosaurios también lo hacen. Esto conserva el tamaño y la forma del dinosaurios.

Las personas pueden ir a los museos para ver fósiles y conocer más acerca del apatosaurio. Personas de todo el mundo visitan museos cada año para ver fósiles del apatosaurio en persona. No se han encontrado muchos fósiles de apatosaurio, y la mayoría de ellos no están completos. El museo Carnegie Museum of Natural History en Pittsburgh, Pensilvania, posee un esqueleto de apatosaurio casi completo con su cráneo. Fue descubierto en 1909.

¡Visita www.av2books.com para disfrutar de tu libro interactivo de inglés y español!

Check out www.av2books.com for your interactive English and Spanish ebook!

1 **Entra en www.av2books.com**
Go to www.av2books.com

2 **Ingresa tu código**
Enter book code

N 5 1 1 4 5 8

3 **¡Alimenta tu imaginación en línea!**
Fuel your imagination online!

www.av2books.com

Published by AV² by Weigl
350 5th Avenue, 59th Floor New York, NY 10118
Website: www.av2books.com   www.weigl.com

Library of Congress Control Number: 2014932806

ISBN 978-1-4896-2060-6 (hardcover)
ISBN 978-1-4896-2061-3 (single-user eBook)
ISBN 978-1-4896-2062-0 (multi-user eBook)

Printed in the United States of America in North Mankato, Minnesota
1 2 3 4 5 6 7 8 9 0 18 17 16 15 14

032014
WEP280314

Project Coordinator: Jared Siemens
Spanish Editor: Translation Cloud LLC
Art Director: Terry Paulhus